First published in 1979
Usborne Publishing Ltd
Usborne House, 83-85 Saffron Hill
London EC1N 8RT, England.
Copyright © 1989 (limp), 1979
Usborne Publishing Ltd.

The name Usborne and the device are
Trade Marks of Usborne Publishing Ltd.

Printed in Great Britain

About this book

This book is for everyone who is starting to learn German. By looking at the pictures, it will be easy to read and learn the words underneath. And seeing them in a scene where you would expect to find them will help you to remember them.

Masculine, feminine and neuter words

When you look at the words in German you will see that most of them have **der**, **die** or **das**, which means 'the', in front of them. When learning German, it is a good idea to learn the **der**, **die** or **das** with each word. This is because in German all words, like table or clock, as well as man and woman, are masculine or feminine, and some words, like bed, are neuter. **Der** means the word is masculine, **die** means it is feminine, and **das** means it is neuter.

Die is also the word for 'the' before plural words—that is, the tables or the beds. Plural words in the pictures are marked with *.

Looking at the words

You will see that most German words are written with a capital, or big, letter, unlike most English words. There is also the letter ß in some words which is the same as 'ss' written in English. On some vowels, **a, o, u,** there are two dots, like this **ä, ö, ü**. This is called an umlaut and changes the way the vowel is said.

Saying the words

At the back of the book there is a guide to pronouncing all the words on the pictures. This is to help you say them. But there are some sounds in German which are quite different from any sounds in English. To pronounce them as a German person would, you have to hear them spoken. Listen carefully and then try to say them that way yourself. But if you say them as they are written in the pronunciation guide, a German person will understand you— even if your German accent is not perfect.

Spot the duck
There is a duck on every double-page picture. Can you find it?

NEW HANOVER COUNTY
PUBLIC LIBRARY
201 CHESTNUT STREET
WILMINGTON, N C 28401

THE FIRST THOUSAND WORDS IN GERMAN

With Easy Pronunciation Guide

Heather Amery and Cornelie Tücking
Illustrated by Stephen Cartwright

Pronunciation Guide by Anne Koppel, BSc, MA

Zu Hause

die Badewanne

die Seife

der Wasserhahn

der Schaum

die Zahnbürste

das Wasser

das Handtuch

der Schwamm

die Brause

die Zahnpasta

das Waschbecken

die Toilette

das Bücherregal

der Tisch

das Radio

der Heizkörper

die Wolle

die Tapete

die Uhr

der Teppich

das Kissen

der Plattensp

4

die Lampe

das Bett

die Kommode

die Bürste

das Kopfkissen

der Kleiderschrank

der Vorleger

die Bilder*

die Daunendecke

die Kleider*

der Kamm

der Spiegel

das Bettlaken

die Treppe

die Spinne

Sessel   die Briefe*   das Telefon   die Spinnwebe   die Fliege   die Haken*

die Zeitung

5

Die Küche

der Eisschrank

die Gläser*

die Uhr

die Löffel*

die Schürze

die Steckdose

die Töpfe*

die Untertassen*

das Bügeleisen

der Kessel

der Mop

der Staubsauger

der Ausguß

die Gabeln*

die Tür

das Staubtuch

das Poliermittel

der Hocker

die Messer*

6

der Herd

die Kacheln*

die Schublade

der Abfall

die Bratpfanne

die Waschmaschine

die Schaufel

die Teller*

das Bügelbrett

das Waschpulver

die Bürste

der Tisch

die Birne

die Tassen*

die Teelöffel*

die Zündhölzer*

der Schlüssel

der Besen

die Schüsseln*

der Schrank

7

Im Garten

der Schubkarren

der Bienenstock

die Schnecke

die Ziegelsteine*

der Mülleimer

die Raupe

der Spaten

die Ameise

der Vogel

die Dachrinne

die Leiter

die Samen*

8 der Schuppen

die Blumen*

der Wurm

der Rasensprenger

der Knochen

die Hecke

der Spaten

der Rasenmäher

der Weg

der Baum

die Heugabel

die Blätter*

der Besen

der Schlauch

die Hacke

der Rauch

die Biene

der Rechen

der Kinderwagen

die Wespe

das Gras

die Pflanzen*

das Feuer

das Vogelnest

die Stöcke*

das Gewächshaus

Die Werkstatt

das Sandpapier

der Bohrer

die Bolzen*

die Reißnägel*

die Säge

das Sägemehl

der Hammer

die Feile

der Werkzeugkasten

der Schraubenzieher

das Brett

der Farbtopf

die Späne*

das Taschenm

10

das Faß

das Beil

die Muttern*

das Maßband

die Schrauben*

die Leiter

die Nägel*

der Schraubstock

s Brennholz

die Werkzeugbank

die Gefäße*

das Holz

der Hobel

11

Die Straße

die Tankstelle

der Krankenwagen

das Fahrrad

das Loch

das Café

der Bürgersteig

das Geschäft

die Ampel

der Schornstein

der Lastwagen

der Zebrastreifen

die Stufen*

der Mann

das Hotel

die Funkstreife

die Walze

der Preßlufthammer

die Schule

der Spielplatz

die Wohnung

12

die Statue

der Bus

das Taxi

der Anhänger

die Röhren*

das Dach

der Markt

die Fabrik

die Fernsehantenne

der Lieferwagen

der Polizist

die Feuerwehr

das Haus

die Frau

der Fahrer

der Laternenpfahl

das Motorrad

das Auto

das Kino

die Kirche

Bagger

13

Der Spielzeugladen

das Klavier

die Spielkarten*

das Puppenhaus

die Flöte

der Roboter

die Mundharmonika

die Murmeln*

die Kanone

der Photoapparat

die Perlen*

die Pfeife

die Rakete

die Würfel*

die Puppen*

die Raumfahrer*

das Schaukelpferd

der Kran

die Dampfwalze

die Schläger*

die Bausteine*

der Werkzeugkasten

die Gitarre

die Angelrute

der Malkasten

der Ton

der Fallschirm

die Schreib-
maschine

das Boot

die
Zielscheibe

der Panzer

die Soldaten*

die Festung

die
Sparbüchse

das
U-Boot

senbahn

die Trommeln*

die Bälle*

die
Marionetten*

der
Rennwagen

die Masken*

die Trompete

Pfeil und Bogen

das Gewehr

15

Der Park

der Ball

die Schnur

der Sandkasten

das Picknick

der Drachen

das Eis

der Hund

die Schaukeln*

das Tor

der Weg

die Kaulquappen*

die Rutschbahn

der Frosch

der Busch

die Rollschuhe*

die Kinder

der Rolle

16

die Schwäne*

das Baby

die Erde

der Zaun

der Kindersport- wagen

die Tauben*

die Wippe

die Blumen*

die Pfütze

die Entchen*

das Springseil

das Boot

das Blumenbeet

die Bank

der See

die Hundeleine

die Enten*

die Bäume* 17

Im Tierpark

der Pandabär

die Fledermäus

der Pinguin

das Nilpferd

die Klaue

das Känguruh

der Flüge

der Adler

die Federn*

der Strauß

der Wolf

der Affe

der Pelikan

die Giraffe

der Gorilla

der Bär

der Biber

der Löwe

die Löwenjungen*

das Krokodil

das Geweih

der Hirsch

das Kamel

der Seehund

der Eisbär

e Affen*

der Rüssel

der Elefant

das Zebra

der Büffel

das Nashorn

die Schwanzflosse

der Haifisch

die Ziege

der Delphin

der Leopard

der Wal

der Tiger

Der Bahnhof

die Schienen*

der Schaffner

die Lokomotive

die Puffer*

der Speisewagen

die Waggons*

der Lokomotivführer

der Güterzug

der Bahnsteig

das Signal

der Kontrolleur

die Koffer*

Die Tankstelle

die Scheinwerfer*

der Motor

die Ölkanne

die Batterie

der Tankwagen

er Flughafen

die Stewardeß

der Hubschrauber

die Landebahn

das Flugzeug

der Kontrollturm

der Pilot

die Autowäsche

der Kofferraum

die Luftpumpe

die Benzinpumpe

s Rad

der Reifen

der Schraubenschlüssel

die Kühlerhaube

der Abschleppwagen

das Öl

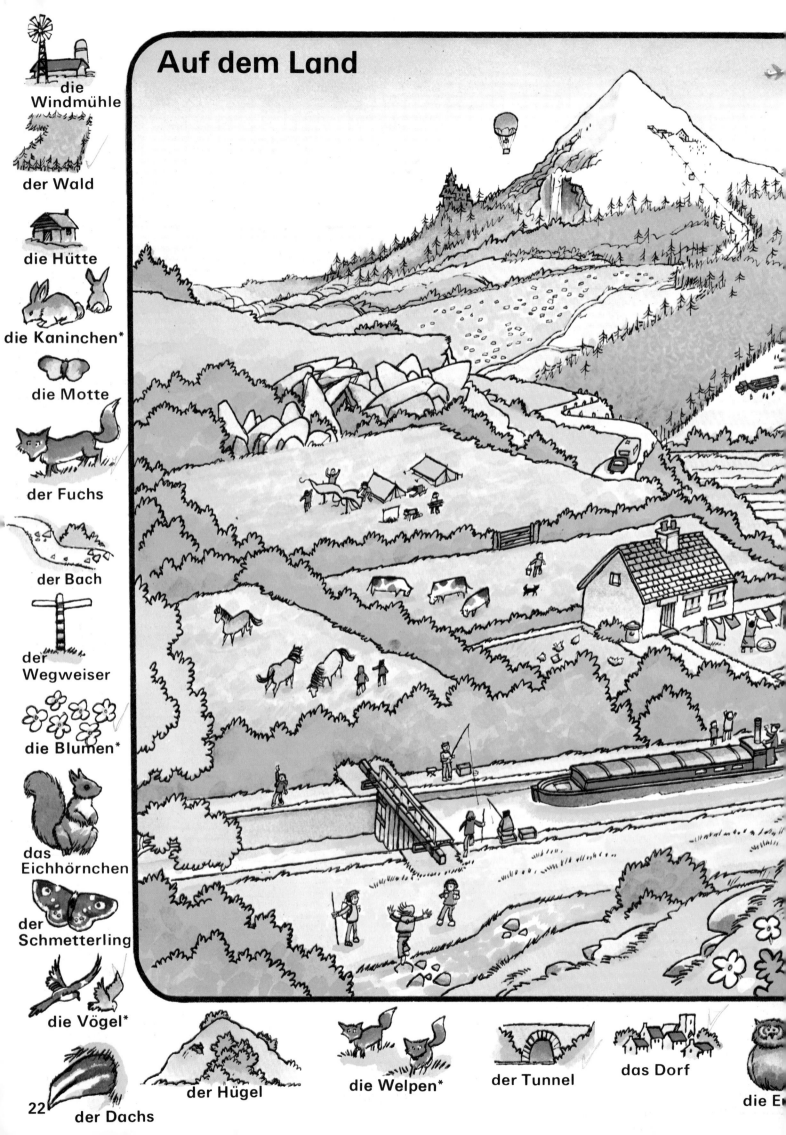

Auf dem Land

die Windmühle

der Wald

die Hütte

die Kaninchen*

die Motte

der Fuchs

der Bach

der Wegweiser

die Blumen*

das Eichhörnchen

der Schmetterling

die Vögel*

der Dachs

der Hügel

die Welpen*

der Tunnel

das Dorf

die E

22

der Ballon

der Wohnwagen

die Baumstämme*

die Zelte*

die Straße

die Brücke

der Lastkahn

der Wasserfall

der Berg

die Steine*

der Maulwurf

die Schleuse

der Angler

die Felsen*

der Kanal

der Fluß

der Zug

Der Bauernhof

der Teich

die Schafe*

der Heuschober

die Enten*

der Anhänger

die Lämmer*

der Zaun

der Speicher

der Schweinestall

der Stier

der Schlamm

die Ferkel*

die Scheune

der Stall

der Bauer

der Karren

das Pony

der Traktor

der Sattel

die Gänse*

die Strohballen*

die Säck

24

der Lastwagen

der Obstgarten

der Hühnerstall

der Kuhstall

die Kuh

die Entchen*

der Hahn

das Kalb

der Pflug

der Schäfer-hund

der Schäfer

die Truthähne*

die Vogelscheuche

das Bauernhaus

die Schweine*

die Hühner*

die Küchlein*

das Pferd

die Gänschen

der Acker

das Heu

das Getreide

25

Der Strand

das Segelboot

das Meer

das Ruder

der Leuchtturm

der Spaten

der Eimer

der Seestern

die Sandburg

die Möwe

die Fahne

der Krebs

der Seemann

der Sonnenhut

die Boje   die Insel   der Hafen   das Motorboot   die Wasserskiläuferin

der Liegestuhl

die Wellen*

die Muschel

die Klippe

das Schiff

das Kanu

die Kiesel*

der Ball

die Felsen*

die Flossen*

die Algen*

das Netz

das Paddel

das Fischerboot

Sonnenschirm   der Esel

der Öltanker

das Ruderboot

der Badeanzug

das Seil

In der Schule

das Aquarium

das Abzeichen

die Decke

die Bleistifte*

die Buben*

der Kalender

die Wand

der Papierkorb

die Schere

4+2 =
3-2 =

das Rechnen

das Lineal

das Pult

die 28 Photographien*

die Farben*

das Papier

die Pinsel*

die Klingel

a b c d e f g
h i j k l m n o
p q r s t u v
w x y z

das Abc

die Schachteln*

die Bücher*

abcdefg
hijklmno
pqrstuv
wxyz

das Bild

die Federn*

die Kreide

die Staffelei

der Boden

die Pflanzen*

die Mädchen*

der Globus

der Klebstoff

die Türklinke

der Notizblock

die Reißzwecken

die Zeichnung

die Landkarte

die Buntstifte*

die Lampe

die Tafel

die Jalousie

der Radiergummi

die Lehrerin

29

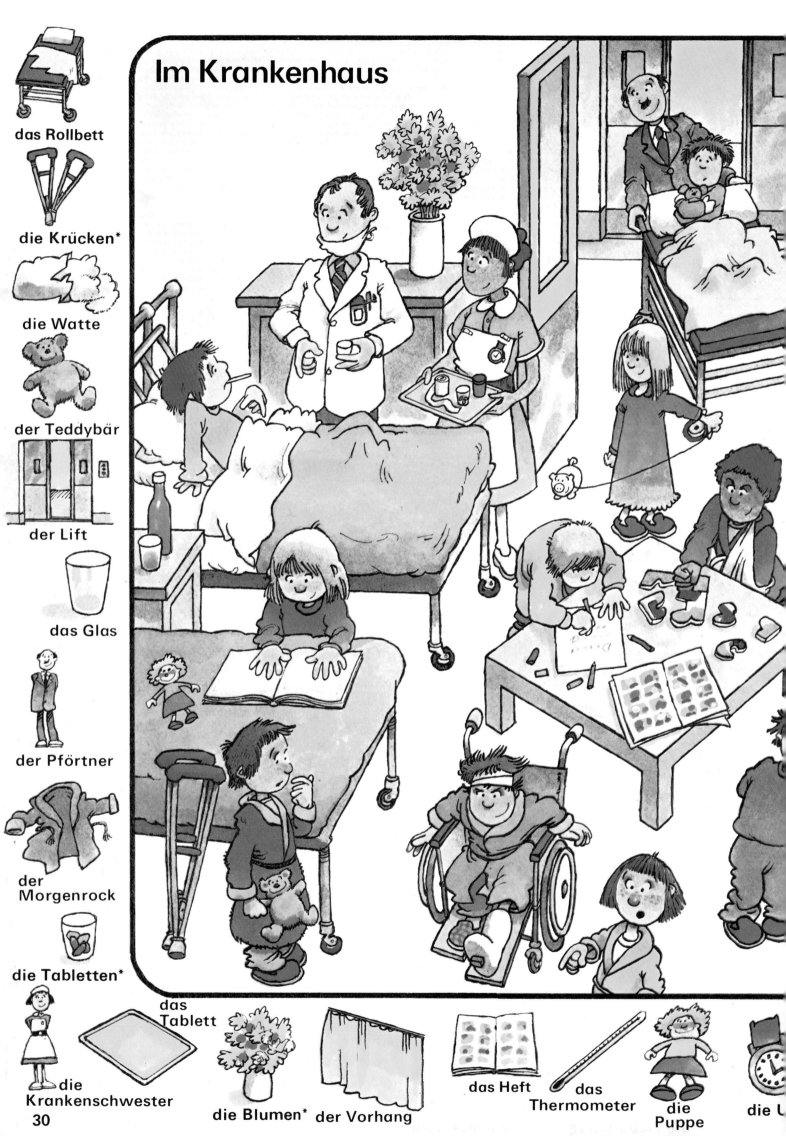

Im Krankenhaus

das Rollbett

die Krücken*

die Watte

der Teddybär

der Lift

das Glas

der Pförtner

der Morgenrock

die Tabletten*

die Krankenschwester

das Tablett

die Blumen*

der Vorhang

das Heft

das Thermometer

die Puppe

die U

30

der Nachttisch

die Medizin

die Pantoffeln*

der Schlafanzug

die Spritze

der Obstsaft

das Nachthemd

der Schrank

der Fernseher

das Bett

die Fieberkurve

der Gips

der Verband

das blaue Auge

der Rollstuhl

das Puzzle

der Doktor

Die Party

die Luftballons*

die Wunderkerzen*

die Hüte*

der Pudding

belegte Brötchen*

der Mond

die Bonbons*

die Plätzchen*

die Tischdecke

die Schallplatten* der Kuchen

die Schokolade

die Rosinensemmeln*

der Lampie

die Spielsachen*

das Band

die Kerzen*

die Strohhalme*

die Sterne*

die Pakete*

der Pudding

Geschenke*   das Fenster   das Fruchtgelee   das Feuerwerk   die Papierketten*   das Kostüm

33

die Bananen*

die Grapefruit*

der Salat

die Weintrauben*

der Blumenkohl

die Äpfel*

die Karotten*

der Lauch

der Kürbis

die Gurke

die Zitronen*

der Fenchel

die Bohnen*

die Kirschen*

die Aprikosen*

der Kohl

die Melone

Das Geschäft

KÄSE

FLEIS

OBST

OBST

GEMÜSE

die Pilze*

die Tomaten*

die Erbsen*

die Pflaumen*

die Himbeeren*

die Zwiebeln*

die Pfirsiche*

die Ananas

die Kartoffeln*

der Spin

34

FISCH

BROT

die Büchsen*

das Brot

die Butter

der Käse

das Hähnchen

die Eier*

der Fisch

das Mehl

die Marmelade

das Fleisch

die Würste*

der Joghurt

der Korb

die Flaschen*

Rosenkohl

die Orangen*

die Erdbeeren*

die Tragtaschen*

die Kasse

die Waage

das Geld

der Einkaufswagen

der Geldbeutel

die Handtasche

35

Das Essen

das Frühstück

das Mittagessen

der Kaffee

das Hühnchen

die Marmelad

die Spiegeleier*

die Milch

der Honig

die Sahne

der Kakao

die Koteletts

das Bier

der Schinken

das Salz

der Pfeffer

das Abendessen

der Tee

der Fruchtsaft

die Nüsse*

das Fleisch

der Zucker

die Suppe

das Omelett

der Salat

der Eintopf

die Pfannkuchen*

die Brötchen*

der Reis

der Wein

die Spaghetti

die Soße

37

Ich

das Haar   die Augenbraue   das Auge   die Nase   die Backe

der Mund   die Lippen*   die Zähne*   die Zunge   das Kinn

der Hals   die Ohren*   der Kopf   das Gesicht   die Schultern

die Arme*   der Ellbogen   die Hände*   die Finger*   die Daumen*

der Rücken   der Popo   die Brust   der Bauch   das Knie

die Beine*   die Füße*   die Zehen*   die Ferse

Meine Kleider

die Unterhose

das Unterhemd

die Hose

die Jeans

das T-Shirt

der Rock

das Hemd

die Krawatte

die kurze Hose

die Socken*

der Rollkragen

der Pullover

die Strickjacke

die Strumpfhose

die Bluse

das Kleid

die Turnschuhe*

die Halbschuhe*

die Sandalen*

die Stiefel*

die Handschuhe*

die Jacke

der Anorak

der Mantel

das Taschentuch

die Mütze

der Hut

der Gürtel

die Knöpfe*

die Knopflöcher*

die Taschen*

der Reißverschluß

die Schnallen*

die Schnürbänder*

der Schal

39

Leute

der Schauspieler

der Koch

die Tänzerin

der Schreiner

der Froschmann

der Astronaut

der Dirigen

der Clown

der Soldat

der Polizist

der Bauer

die Sängerin

der Verkäufer

der Rennfahrer

der Mechaniker

der Maler

40

er Metzger

der Feuerwehrmann

der Postbote

der Tiefseetaucher

der Anstreicher

der Lokomotivführer

der Bergsteiger

der Zahnarzt

der Pilot

der Richter

der Zoowärter

der Bäcker

die Familie

der Vater
der Ehemann

die Tochter
die Schwester

die
Mutter
die Ehefrau

der Sohn
der Bruder

die Tante

der
Onkel

der Cousin

die Großmutter

der Großvater

Tätigkeitswörter

lächeln

tragen

baden

schreiben

denken

kriechen

bauen

hacken

malen

zerbrechen

lesen

Zähne putzen

zuhören

mähen

fallen

trinken

waschen

versdecken

auffegen

lachen

weinen

tanzen

fangen

stricken

sitzen

42

klettern

spielen

kochen

raufen

schlafen

hüpfen

pflücken

warten

anschauen

werfen

erzählen

ziehen

nehmen

essen

nähen

singen

gewinnen

laufen

springen

basteln

stehen

einkaufen

gehen

schieben

43

Gegenteile

lieb

böse

klein

groß

dick

dün

halb

ganz

die oberste

die unterste

weich

hart

kalt

heiß

der erste

der letzte

weit

wenige

viele

nahe

leer

voll

schmutzig

sauber

links

hoch

niedrig

langsam

schnell

einfach

schwierig

lang

kurz

oben

unten

gut

scheußlich

auf

unter

vorne

hinten

naß

trocken

lebendig

tot

dunkel

hell

offen

zu

rechts

alt

außen

neu

innen

45

Wörter in Märchen und Geschichten

die Burg

der Drache

der Ritter

der Riese

der Besenstiel

die Hexe

die Pistole

die Kanone

der Pirat

der Schat

der Zauberstab

der Pilz

die Elfe

der Zwerg

die Fee

der Brunnen

der Zauberer

der Räuber

die Wüste

der Indianer

der Sheriff

der Cowboy

die Kutsch

der Teufel

die Krone

der Palast

der Page

die Prinzessin

das Schwert

die Königin

der König

der Prinz

der Engel

das Gefängnis

der Dinosaurier

das Rentier

der Schlitten

der Weihnachtsmann

der Zauberer

die Hochzeit

der Bräutigam

die Braut

die Brautjungfern*

das Ungeheuer

der Geist

Haustiere

die Kaninchen*

die Katze

der Hund

die Goldfische*

die Eidechsen*

der Papagei

die Frösche*

der Igel

die Seidenraupen*

die Wellensittiche*

der Hamster

die Kröten*

die Hündchen*

die Tauben*

die Mäuse*

die Schlange

die Kätzchen*

die Schildkröter

48

as Wetter

die Wolken*

der Nebel

der Regen

der Frost

der Schnee

die Sonne

der Regenbogen

der Blitz

der Tau

der Wind

der Nebel

ahreszeiten

der Frühling

der Sommer

der Herbst

der Winter

Der Sport

das Boxen

das Radrennen

der Baseball

das Schwimmen

das Fußballspielen

die Gymnastik

der Hochsprung

das Skilaufen

das Autorennen

das Tennis

das Pferderennen

der Eislauf

das Wettschießen

das Kricket

das Gewichtheben

das Pferdespringen

das Motorradrennen

das Reiten

das Segeln

das Tischtennis

das Rudern

das Ringen

der Korbball

das Judo

Farben

schwarz

orange

grün

braun

blau

rot

rosa

grau

weiß

lila

gelb

Formen

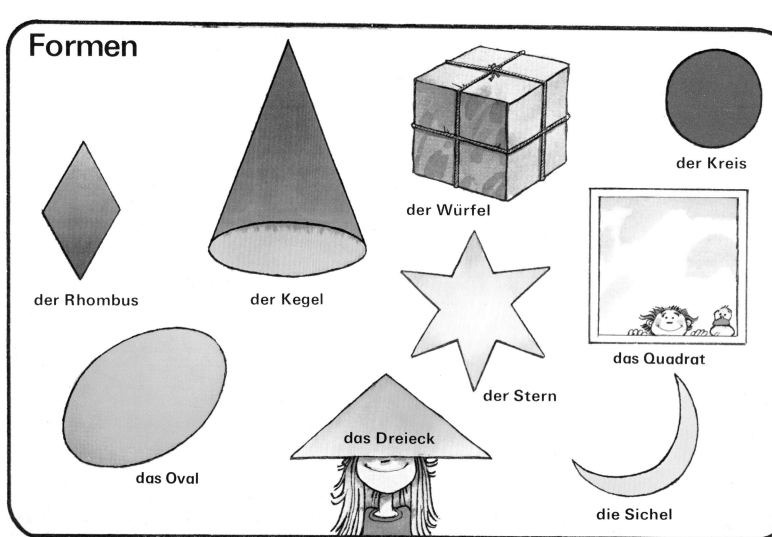

der Rhombus

der Kegel

der Würfel

der Kreis

das Quadrat

der Stern

das Oval

das Dreieck

die Sichel

Zahlen

1	eins
2	zwei
3	drei
4	vier
5	fünf
6	sechs
7	sieben
8	acht
9	neun
10	zehn
11	elf
12	zwölf
13	dreizehn
14	vierzehn
15	fünfzehn
16	sechzehn
17	siebzehn
18	achtzehn
19	neunzehn
20	zwanzig

Der Jahrmarkt

das Karussell

die Rutschbahn

die Matte

das Riesenr[ad]

die Autoskooter*

die Achterbahn

das Ringwerfen

das Popkorn

die Zuckerwatte

die Geisterbahn

die Schießbude

Der Zirkus

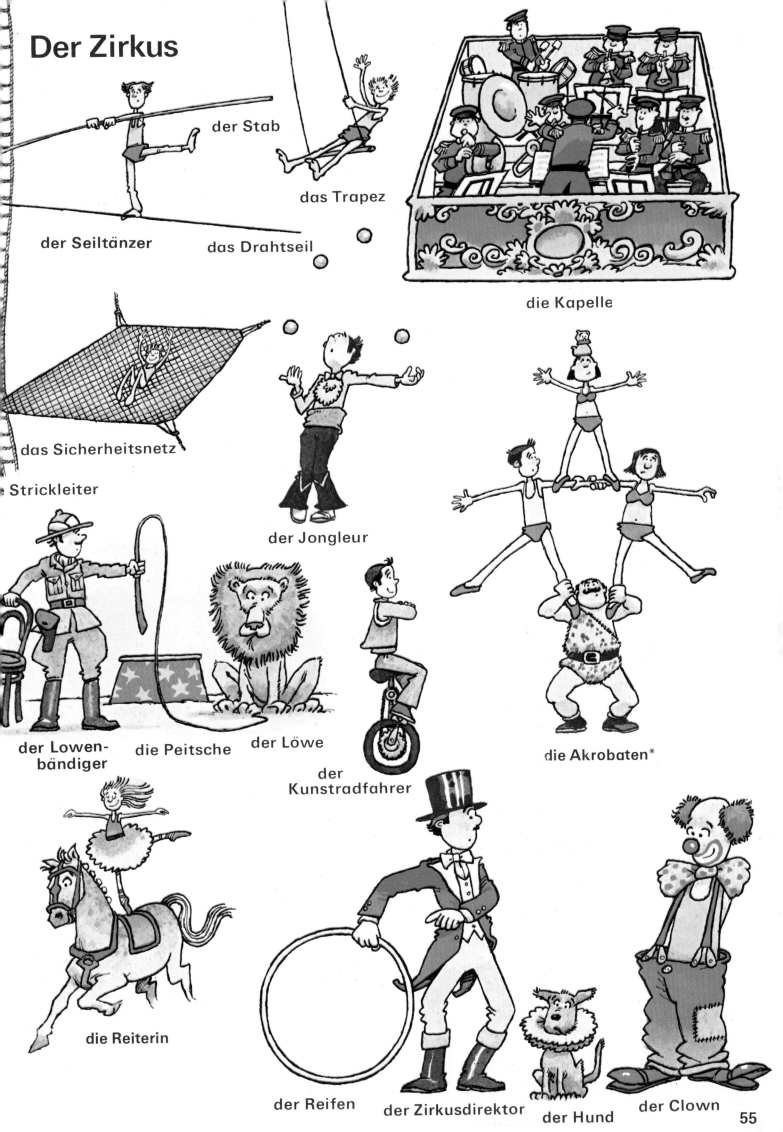

der Stab

das Trapez

der Seiltänzer

das Drahtseil

die Kapelle

das Sicherheitsnetz

Strickleiter

der Jongleur

der Lowen-
bändiger

die Peitsche

der Löwe

der Kunstradfahrer

die Akrobaten*

die Reiterin

der Reifen

der Zirkusdirektor

der Hund

der Clown

In this list of useful words, the English word comes first, then there is the German translation, followed by the pronunciation of the German word in *italics*.

On the next page is the start of the alphabetical list of all the words in the pictures in this book. Here the German word comes first, then there is its pronunciation in *italics*, followed by the English translation.

Although some German words look like English ones, they are not pronounced in the same way. And some letters have different sounds. In German, *w* sounds like English *v*, *v* sounds like *f*, *z* like *ts*, and *j* like *y* in *young*. There are also some sounds in German which are quite unlike sounds in English.

The pronunciation is a guide to help you say the words correctly. They may look funny or strange. Just read them as if they are English words, except

for these special rules:

ah is said like *a* in *farther*
a is said like *ah* but shorter
ow is like *ow* in *cow*
e(w) is different from any sound in English. To make it, say *ee* with your lips rounded.
ee is like *ee* in *week*
ay is like *ay* in *day*
y is like *y* in *try*, except when it comes before a vowel. Then it sounds like *y* in *young*.
g as *g* in *garden*
kh is said like *ch* in the Scottish word *loch* or the *h* in *huge*.
r is made at the back of your mouth and sounds a little like gargling.
e(r) is like the *e* in *the* (not *thee*). When the *r* is in brackets *(r)*, it is not said.
u(r) is like *i* in *bird*. The *r* is not said.

More useful words These words (not in the pictures) cannot be illustrated.

English	German	Pronunciation	English	German	Pronunciation
about	ungefähr	*oon-gifferr*	my	mein	*mine*
after	nach	*nakh*	myself	ich selber	*ikh zelber*
afternoon	der Nachmittag	*derr nakh-mittak*	name	der Name	*derr nahme(r)*
again	wieder	*veeder*	near	nahe	*nah*
all	alle	*alle(r)*	never	nie	*nee*
always	immer	*immer*	next	nächst	*nekhst*
and	und	*oont*	night	die Nacht	*dee nakht*
to ask	fragen	*frahgen*	no	nein	*nine*
at	bei	*by*	now	jetzt	*yetst*
to be	sein	*zine*	of	von	*fon*
because	weil	*vile*	once	einmal	*yne-mal*
to bring	bringen	*bringen*	other	andere	*andirre(r)*
but	aber	*aber*	our	unser	*oonzer*
by	von	*fon*	please	bitte	*bitte(r)*
to call	rufen	*roofen*	poor	arm	*arm*
to come	kommen	*kommen*	pretty	hübsch	*hewpsh*
day	der Tag	*derr takh*	sad	traurig	*trowrikh*
each	jeder	*yayder*	to see	sehen	*zayen*
early	früh	*frew*	to sell	verkaufen	*ferkowfen*
excuse me	Entschuldigung	*ent-shool-diggoong*	she	sie	*zee*
to finish	beenden	*be(r)-enden*	to show	zeigen	*tsygen*
for	für	*fewr*	soon	bald	*balt*
friend	der Freund	*derr froynt*	some	einige	*eye-nigge(r)*
from	von	*fon*	sorry	es tut mir leid	*es toot meer lyte*
to go	gehen	*gayen*	to stay	bleiben	*blyben*
happy	glücklich	*glewklikh*	thank you	Danke schön	*danker shu(r)n*
to have	haben	*ha-ben*	then	dann	*dan*
he	er	*air*	there	da	*dah*
to hear	hören	*hu(r)-ren*	these	diese	*deeze(r)*
to help	helfen	*helfen*	they	sie	*zee*
her	ihr	*eer*	thirsty	durstig	*doorshtikh*
here	hier	*heer*	this	dies	*deess*
his	sein	*zine*	time	die Zeit	*dee tsyt*
hungry	hungrig	*hoon-grig*	to	zu	*tsoo*
I	ich	*ikh*	today	heute	*hoyte(r)*
if	wenn	*ven*	tomorrow	morgen	*morgen*
just	gerade, nur	*ge(r)-rahde(r), noor*	to touch	berühren	*be(r)-rewren*
to keep	behalten	*be(r)-halten*	to try	versuchen	*ferzookhen*
to know	wissen	*vissen*	very	sehr	*zair*
late	spät	*shpayt*	to want	wollen	*vollen*
to leave	lassen, verlassen	*lassen, ferlassen*	we	wir	*veer*
to learn	lernen	*lernen*	week	die Woche	*dee vokhe(r)*
to let	lassen	*lassen*	when	wann	*vann*
to like	mögen	*mu(r)-gen*	where	wo	*vo*
to look	anschauen	*an-showen*	why	warum	*varoom*
lot	viel	*feel*	with	mit	*mit*
to love	lieben	*leeben*	year	das Jahr	*dass yahr*
month	der Monat	*derr moan-at*	yes	ja	*ya*
more	mehr	*mair*	yesterday	gestern	*gestern*
morning	der Morgen	*derr morgen*	you	du, ihr, Sie	*doo, eer, zee*

German	Pronunciation	English
die Daunendecke	dee downen-decke(r)	eiderdown
die Decke	dee decke(r)	ceiling, blanket
der Delphin	derr delfeen	dolphin
denken	deng-ken	to think
dick	deek	fat
der Dinosaurier	derr deeno-sowrie(r)	dinosaur
der Dirigent	derr dirrigent	conductor
der Doktor	derr doctor	doctor
das Dorf	dass dorf	village
der Drache	derr drakhe(r)	dragon
der Drachen	derr drakhen	kite
das Drahtseil	dass draht-zile	tight rope
drei	dry	three
das Dreieck	dass dry-eck	triangle
dreizehn	dry-tsane	thirteen
dunkel	doongkel	dark
dünn	dewn	thin
durch	doorkh	through
die Ehefrau	dee aye(r)-frow	wife
der Ehemann	der aye(r)-man	husband
das Ei	dass eye	egg
das Eichhörnchen	dass ykh-hurn-khen	squirrel
die Eidechse	dee yde-ekse(r)	lizard
der Eimer	derr eye-mer	bucket
einfach	yne-fakh	easy
einkaufen	yne-kowf-en	to buy
der Einkaufswagen	der yne-kowfs-vahgen	trolley
eins	ynss	one
der Eintopf	derr yne-topf	stew
das Eis	dass ice	icecream
der Eisbär	derr ice-bear	polar bear
die Eisenbahn	dee yzen-bahn	train set
der Eislauf	derr ice-lowf	skating
der Eisschrank	derr ice-shrank	refrigerator
der Elefant	derr elephant	elephant
elf	elf	eleven
die Elfe	dee elfe(r)	elf
der Ellbogen	derr elbogen	elbow
der Engel	derr engel	angel
die Ente	dee ente(r)	duck
das Entchen	dass ent-khen	duckling
der Erdarbeiter	derr ert-arbiter	digger
die Erbse	dee erpse(r)	pea
die Erdbeere	dee ert-berre(r)	strawberry
die Erde	dee erde(r)	earth
der erste	derr erste(r)	first
erzählen	er-tsay-len	to tell
der Esel	derr ayzel	donkey
essen	essen	to eat
das Essen	dass essen	food
die Eule	dee oyle(r)	owl
die Fabrik	dee fabreek	factory
die Fahne	dee fahne(r)	flag
der Fahrer	derr fahrer	driver
das Fahrrad	dass far-rat	bicycle
fallen	fa-len	to fall
der Fallschirm	derr fal-sheerm	parachute
die Familie	dee fameelye(r)	family
fangen	fang-en	to catch
die Farbe	dee farbe(r)	colour
der Farbtopf	derr farp-topf	paint pot
das Faß	dass fass	barrel
die Feder	dee fayder	feather, pen
die Fee	dee fay	fairy
die Feile	dee file(r)	file
der Felsen	derr felzen	rock
der Fenchel	derr fenkhel	fennel
das Fenster	dass fenster	window
das Ferkel	dass ferkel	piglet
die Fernsehantenne	dee fernzay-antenne(r)	television aerial
das Fernsehen	dass fern-zayen	television
die Ferse	dee ferze(r)	heel
die Festung	dee festoong	fort
das Feuer	dass foyer	fire, bonfire
die Feuerwehr	dee foyer-ver	fire engine
der Fenerwehrmann	derr foyer-ver-man	fireman
der Feuerwerk	dass foyer-verk	firework
die Fieberkurve	dee feeber-koorve(r)	chart
der Finger	derr fing-er	finger
der Fisch	derr fish	fish
das Fischerboot	dass fisher-boat	fishing boat
die Flasche	dee flashe(r)	bottle
die Fledermaus	dee flayder-mouse	bat
das Fleisch	dass flysh	meat
die Fliege	dee fleege(r)	fly
die Flosse	dee flosse(r)	flipper
die Flöte	dee flu(r)te(r)	recorder
der Flügel	derr flewgel	wing
der Flughafen	derr floog-hahten	airport
das Flugzeug	dass floog-tsoyk	aeroplane
der Fluß	derr flooss	river
die Form	dee form	shape
die Frau	dee frow	woman
der Freund	derr froynt	friend
der Frosch	derr frosh	frog
der Froschmann	derr frosh-man	frogman
der Frost	derr frost	frost
das Fruchtgelee	dass frookht-jellay	jelly
der Fruchtsaft	derr frookht-zaft	fruit juice
der Frühling	derr frewling	spring
das Frühstuck	dass frew-shoo	breakfast
der Fuchs	derr fooks	fox
fünf	fewnf	five
fünfzehn	fewnf-tsayn	fifteen
die Funkstreife	dee foonk-shtrife(r)	police car
der Fuß	derr fooss	foot
der Fußball	derr fooss-bal	football
das Fußballspielen	dass fooss-bal-speelen	football (to play)
die Gabel	dee gahbel	fork
die Gans	dee ganss	goose
das Gänschen	dass genss-khen	gosling
der Garten	derr garten	garden
ganz	gants	whole
das Gefängnis	dass gefeng-niss	prison
das Gefäß	dass gefess	jar
gehen	gayen	to walk
der Geist	derr gyst	ghost
die Geisterbahn	dee gyster-bahn	ghost train
gelb	gelp	yellow
das Geld	dass gelt	money
das Gemüse	dass ge(r)-mewze(r)	vegetable
das Geschäft	dass ge(r)-sheft	shop
das Geschenk	dass ge(r)-shenk	present
die Geschichte	dee ge(r)-shikhte(r)	story
das Gesicht	dass ge(r)-zikht	face
das Getreide	dass ge(r)-tryde(r)	corn
das Gewächshaus	dass ge(r)-vecks-house	greenhouse
das Gewehr	dass geverr	gun
das Gewichtheben	dass gevikt-hayben	weight-lifting
gewinnen	ge(r)-vinnen	to win
der Gips	derr gips	plaster
die Giraffe	dee gee-raffe(r)	giraffe
die Gitarre	dee gittarre(r)	guitar
das Glas	dass glass	glass
der Globus	derr globe-ooss	globe
glücklich	glewk-likh	happy
der Goldfisch	derr golt-fish	goldfish
der Gorilla	derr gorilla	gorilla
graben	grahben	to dig
die Grapefruit	dee grape-fruit	grapefruit
das Gras	dass grass	grass
grau	graow	grey
die Grille	dee grille(r)	cricket
groß	gross	big
die Großmutter	dee gross-mooter	grandmother
der Großvater	derr gross-fahter	grandfather

German	Pronunciation	English
grün	*grewn*	green
die Gurke	*dee goorke(r)*	cucumber
der Gürtel	*derr gewrtel*	belt
gut	*goot*	nice
der Güterzug	*derr gewter-tzook*	goods train
die Gymnastik	*dee gewm-nasteek*	gymnastics
das Haar	*dass har*	hair
die Hacke	*dee hacke(r)*	hoe
hacken	*hacken*	to chop
der Hafen	*derr ha-fen*	harbour
der Hahn	*derr hahn*	cock
der Haifisch	*derr high-fish*	shark
der Haken	*derr ha-ken*	peg
halb	*halp*	half
der Halbschuh	*derr halp-shoo*	shoe
der Hals	*derr halss*	neck
der Hammer	*derr hammer*	hammer
der Hamster	*derr hamster*	hamster
die Hand	*dee hant*	hand
der Handschuh	*derr hant-shoo*	glove
die Handtasche	*dee hant-tashe(r)*	handbag
das Handtuch	*dass hant-tookh*	towel
hart	*hart*	hard
das Haus	*dass house*	house
das Haustier	*dass house-teer*	pet
die Hecke	*dee hecke(r)*	hedge
heiß	*hyss*	hot
der Heizkörper	*derr hyts-ku(r)rer*	radiator
hell	*hell*	light
das Hemd	*dass hemt*	shirt
der Herbst	*derr herpst*	autumn
der Herd	*derr herrt*	cooker
das Heu	*dass hoy*	hay
die Heugabel	*dee hoy-gahbel*	fork
der Heuschober	*derr hoy-shober*	haystack
die Hexe	*dee hexe(r)*	witch
die Himbeere	*dee him-bayre(r)*	raspberry
hinten	*hinten*	back
hinter	*hinter*	behind
der Hobel	*derr hoabel*	plane
hoch	*hoakh*	high
der Hochsprung	*derr hoakh-shproong*	high jump
die Hochzeit	*dee hokh-tsite*	wedding
der Hocker	*derr hocker*	stool
das Holz	*dass holts*	wood
der Honig	*derr hoanikh*	honey
das Horn	*dass horn*	horn
die Hosen	*dee hozen*	trousers
das Hotel	*dass hotel*	hotel
der Hubschrauber	*derr hoob-shrowber*	helicopter
der Hügel	*derr hewgel*	hill
das Huhn	*dass hoon*	hen
das Hühnchen	*dass hewnkhen*	chicken
der Hühnerstall	*derr hewner-shtal*	henhouse
der Hund	*derr hoont*	dog
das Hündchen	*dass hewnt-khen*	puppy
die Hundeleine	*dee hoonde(r)-line(r)*	dog lead
hüpfen	*hewpfen*	to skip
der Hut	*derr hoot*	hat
die Hütte	*dee hewte(r)*	cottage
der Igel	*derr eegel*	hedgehog
der Indianer	*derr indianer*	Indian
innen	*innen*	inside
die Insel	*dee inzel*	island
die Jacke	*dee yacke(r)*	jacket
die Jahreszeit	*dee yahrez-tsite*	season
der Jahrmarkt	*derr yar-markt*	fairground
die Jalousie	*dee ya-loo-zee*	blind (window)
die Jeans	*dee jeans*	jeans
der Joghurt	*derr yogoort*	yoghurt
der Jongleur	*derr yonglu(r)r*	juggler
das Judo	*dass yoodo*	judo
die Kachel	*dee kakhel*	tile
der Kaffee	*derr kaffay*	coffee
der Kahn	*derr kahn*	barge
der Kakao	*derr ka-kao*	cocoa
das Kalb	*dass kalp*	calf
der Kalender	*derr kalender*	calendar
kalt	*kalt*	cold
das Kamel	*dass kamayl*	camel
der Kamm	*derr kamm*	comb
der Kanal	*derr canal*	canal
das Känguruh	*dass kengeroo*	kangaroo
das Kaninchen	*dass kaneen-khen*	rabbit
die Kanone	*dee kanone(r)*	cannon
das Kanu	*dass kahnoo*	canoe
die Kapelle	*dee kapelle(r)*	band
die Karotte	*dee karotte(r)*	carrot
der Karren	*derr karren*	cart
die Karte	*dee karte(r)*	map, card
die Kartoffel	*dee kartoffel*	potato
das Karussel	*dass ka-roo-sell*	roundabout
der Käse	*derr kayze(r)*	cheese
die Kasse	*dee kasse(r)*	cash desk
das Kätzchen	*dass kets-khen*	kitten
die Katze	*dee katse(r)*	cat
kaufen	*kowfen*	to buy
die Kaulquappe	*dee kowl-kvappe(r)*	tadpole
der Kegel	*derr kaygel*	cone
die Kerze	*dee kertse(r)*	candle
der Kessel	*derr kessel*	kettle
der Kiesel	*derr keezel*	pebble
das Kind	*dass kint*	child
der Kindersportwagen	*derr kinder-shport-vahgen*	pushchair
der Kinderwagen	*derr kin-der-vahgen*	pram
das Kinn	*dass kin*	chin
das Kino	*dass keeno*	cinema
die Kirche	*dee kirkhe(r)*	church
die Kirsche	*dee kirshe(r)*	cherry
das Kissen	*dass kissen*	cushion
die Klaue	*dee klowe(r)*	paw
das Klavier	*dass klaveer*	piano
der Klebstoff	*derr klayb-shtoff*	glue
das Kleid	*dass klyt*	dress
die Kleider	*dee klyder*	clothes
der Kleiderschrank	*derr klyder-shrank*	wardrobe
klein	*klyn*	small
klettern	*klettern*	to climb
die Klingel	*dee kling-el*	bell
die Klippe	*dee klippe(r)*	cliff
das Knie	*dass knee*	knee
der Knochen	*derr knokhen*	bone
der Knopf	*derr knopf*	button
das Knopfloch	*dass knopf-lokh*	button hole
der Koch	*derr kokh*	cook
kochen	*kokhen*	to cook
der Koffer	*derr koffer*	suitcase
der Kofferraum	*derr koffer-rowm*	boot (of car)
der Kohl	*derr koal*	cabbage
die Kolonialwaren	*dee kolonial-vahren*	groceries
die Kommode	*dee kommode(r)*	chest-of-drawers
der König	*derr ku(r)nikh*	king
die Königin	*dee ku(r)nigin*	queen
der Kontrolleur	*derr kontrolloor*	ticket collector
der Kontrollturm	*derr kontroll-toorm*	control tower
der Kopf	*derr kopf*	head
das Kopfkissen	*dass kopf-kissen*	pillow
der Korb	*derr korp*	basket
der Korbball	*derr korp-ball*	basket ball
das Kostüm	*dass kostewm*	fancy dress
das Kotelett	*dass kotlet*	chop (meat)
der Kran	*derr krahn*	crane
das Krankenhaus	*dass kranken-house*	hospital
die Krankenschwester	*dee kranken-shvester*	nurse

German	Pronunciation	English
der Krankenwagen	*der kranken-vahgen*	ambulance
die Krawatte	*dee kravatte(r)*	tie
der Krebs	*derr krayps*	crab
die Kreide	*dee kryde(r)*	chalk
der Kreis	*derr kryss*	circle
das Kricket	*dass cricket*	cricket
kriechen	*kreekhen*	to crawl
das Krokodil	*dass krok-o-deel*	crocodile
die Krone	*dee krone(r)*	crown
die Kröte	*dee kru(r)te(r)*	toad
die Krücke	*dee krewke(r)*	crutch
die Küche	*dee kewkhe(r)*	kitchen
der Kuchen	*derr kookhen*	cake
das Küchlein	*dass kewkh-line*	chick
der Kugelschreiber	*derr koogel-shriber*	pen
die Kuh	*dee koo*	cow
die Kühlerhaube	*dee kewler-howbe(r)*	bonnet (of car)
der Kuhstall	*derr koo-shtal*	cowshed
der Kunstradfahrer	*derr koonst-raht-fahrer*	trick cyclist
der Kürbis	*derr kewrbiss*	pumpkin
kurz	*koorts*	short
die kurze Hose	*dee koortse(r) hose(r)*	shorts
die Kutsche	*dee kootsche(r)*	stagecoach
lachen	*lakhen*	to laugh
lächeln	*lekheln*	to smile
das Lamm	*dass lamm*	lamb
die Lampe	*dee lampe(r)*	lamp
der Lampion	*derr lamp-yoan*	lantern
das Land	*dass lant*	country
die Landebahn	*dee lande(r)-bahn*	runway
die Landkarte	*dee lant-karte(r)*	world map
lang	*lang*	long
langsam	*lang-zahm*	slow
der Lastwagen	*derr last-vahgen*	lorry
der Laternenpfahl	*derr laternen-pfahl*	lamp post
der Lauch	*derr lowkh*	leek
laufen	*lowfen*	to run
lebendig	*lebendikh*	alive
leer	*layr*	empty
die Lehrerin	*dee layrerin*	teacher
die Leiter	*dee lyter*	ladder
der Leopard	*derr layo-pard*	leopard
lesen	*layzen*	to read
der letzte	*derr letste(r)*	last
der Leuchtturm	*derr loykht-toorm*	lighthouse
die Leute	*dee loyte(r)*	people
lieb	*leep*	good
der Lieferwagen	*derr leefer-vahgen*	van
der Liegestuhl	*derr lzege(r)-shtool*	deckchair
der Lift	*derr lift*	lift
lila	*leela*	purple
das Lineal	*dass leenial*	ruler
links	*links*	left
die Lippe	*dee lippe(r)*	lip
das Loch	*dass lokh*	hole
der Löffel	*derr lu(r)fel*	spoon
die Lokomotive	*dee lokomoteeve(r)*	engine
der Lokomotivführer	*derr lokomoteev-fewrer*	train driver
der Löwe	*derr lu(r)ve(r)*	lion
der Löwenbändiger	*derr lu(r)ven-bendiger*	lion tamer
das Löwenjunge	*dass lu(r)ven-yoonge(r)*	lion cub
der Luftballon	*derr looft-ballong*	balloon
die Luftpumpe	*dee looft-poompe*	air pump
das Mädchen	*dass mayt-khen*	girl
malen	*mahlen*	to paint
der Maler	*derr mahler*	artist
der Malkasten	*derr mahl-kasten*	paintbox
der Mann	*derr man*	man
der Mantel	*derr mantel*	coat
das Märchen	*dass merkhen*	fairy tale
die Marionette	*dee marionette(r)*	puppet
der Markt	*derr markt*	market

German	Pronunciation	English
die Marmelade	*dee mar-meh-lahde(r)*	jam
die Maske	*dee maske(r)*	mask
das Maßband	*dass mass-bant*	tape measure
der Matrose	*derr ma-trose(r)*	sailor
die Matte	*dee matte(r)*	mat
der Maulwurf	*derr mowl-voorf*	mole
die Maus	*dee mows*	mouse
der Mechaniker	*derr mekaniker*	mechanic
die Medizin	*dee meditseen*	medicine
das Meer	*dass mayr*	sea
das Mehl	*dass mayl*	four
die Melone	*dee melone(r)*	melon
das Messer	*dass messer*	knife
der Metzger	*derr metsger*	butcher
die Milch	*dee milkh*	milk
das Mittagessen	*dass mittak-essen*	lunch
der Mond	*derr moant*	moon
der Mop	*derr mop*	mop
der Morgenrock	*derr morgen-rock*	dressing gown
der Motor	*derr motor*	engine
das Motorboot	*dass motor-boat*	speed boat
das Motorrad	*dass motor-raht*	motor bike
das Motorradrennen	*dass motor-raht-rennen*	speedway cycling
die Motte	*dee motte(r)*	moth
die Möwe	*dee mu(r)ve(r)*	seagull
der Mülleimer	*derr mewl-ymer*	dustbin
der Mund	*derr moont*	mouth
die Mundharmonika	*dee moont-harmonika*	mouthorgan
die Murmel	*dee moormei*	marble
die Muschel	*dee mooshel*	sea shell
die Mutter	*dee mooter*	mother
die Mutter	*dee mooter*	nut
die Mütze	*dee mewtse(r)*	cap
das Nachthemd	*dass nakht-hemt*	nightdress
der Nachttisch	*derr nakh-tish*	locker
der Nagel	*derr nahgel*	nail
nahe	*nahe(r)*	near
nähen	*nayen*	to sew
die Nase	*dee nähze(r)*	nose
das Nashorn	*dass nahz-horn*	rhinoceros
naß	*nass*	wet
der Nebel	*derr naybel*	fog mist
nehmen	*naymen*	to take
das Netz	*dass nets*	net
neu	*noy*	new
neun	*noyn*	nine
neunzehn	*noyn-tsayn*	nineteen
niedrig	*needrikh*	low
das Nilpferd	*dass neel-pfert*	hippopotamus
der Notizblock	*derr noteets-bloch*	notebook
die Nuß	*dee nooss*	nut
oben	*obin*	upstairs
die oberste	*dee oberste(r)*	top
das Obst	*dass oapst*	fruit
der Obstgarten	*derr oapst-garten*	orchard
der Obstsaft	*derr oapst-zaft*	fruit juice
offen	*offen*	open
das Ohr	*dass ore*	ear
das Öl	*dass u(r)l*	oil
die Ölkanne	*dee u(r)l-kanne(r)*	oil can
der Öltanker	*derr u(r)l-tanker*	oil tanker
das Omelett	*dass omlett*	omelette
der Onkel	*derr ongkel*	uncle
orange	*oranje(r)*	orange (colour)
die Orange	*dee oranje(r)*	orange (fruit)
das Oval	*dass ovahl*	oval
das Paddel	*dass paddel*	paddle
der Page	*derr pahje(r)*	pageboy
das Paket	*dass pa-kayt*	parcel
der Palast	*derr pa-last*	palace

German	Pronunciation	English
der Pandabär	derr panda-bear	panda
der Pantoffel	derr pantoffel	slipper
der Panzer	derr pantser	tank
der Papagei	derr papa-gye	parrot
das Papier	dass papeer	paper
die Papierkette	dee papeer-kette(r)	paper chain
der Papierkorb	derr papeer-korp	wastepaper bin
der Park	derr park	park
die Party	dee party	party
die Peitsche	dee pyte-she(r)	whip
der Pelikan	derr pelikahn	pelican
die Perle	dee perle(r)	bead
der Pfannkuchen	derr pfann-kookhen	pancake
der Pfeffer	derr pfeffer	pepper
die Pfeife	dee pfyfe(r)	whistle
der Pfeil und Bogen	derr pfile oont bogen	bow and arrow
das Pferd	dass pfert	horse
das Pferderennen	dass pferde(r)-rennen	horse racing
das Pferdespringen	dass pferde(r)-shpringen	show jumping
der Pfirsich	derr pfir-zikh	peach
die Pflanze	dee pflantse(r)	plant
die Pflaume	dee pflowme(r)	plum
pflücken	pflew-ken	to pick
der Pflug	derr pflook	plough
der Pförtner	derr pfu(r)rt-ner	porter
die Pfütze	dee pfewtse(r)	puddle
der Photoapparat	derr foto-apparat	camera
die Photographie	dee foto-grafee	photograph
das Picknick	dass pik-nik	picnic
der Pilot	derr pee-lot	pilot
der Pilz	derr pilts	mushroom
der Pinguin	derr pingoowin	penguin
der Pinsel	derr pinzel	paintbrush
der Pirat	derr peerat	pirate
die Pistole	dee pistole(r)	pistol
die Plastik	dee plastic	model
der Plattenspieler	derr platten-shpeeler	record player
das Plätzchen	dass plets-khen	biscuit
das Poliermittel	dass poleer-mittel	polish
der Polizist	derr politsist	policeman
das Pony	dass pony	pony
das Popkorn	dass pop-corn	popcorn
der Popo	derr po-po	bottom
das Portemonnaie	dass port-monnay	purse
der Postbote	derr post-boate(r)	postman
der Preßlufthammer	derr press-looft-hammer	road drill
der Prinz	derr prints	prince
die Prinzessin	dee printsessin	princess
der Pudding	derr pooding	pudding, trifle
die Puffer	dee pooffer	buffer
der Pullover	derr pool-ofer	jumper, pullover
das Pult	dass poolt	desk
die Puppe	dee poope(r)	doll
das Puppenhaus	dass poopen-house	dolls' house
das Puzzle	dass poozle	jigsaw
das Quadrat	dass kvah-draht	square
das Rad	dass raht	wheel
der Radiergummi	derr radeer-goomee	rubber
das Radio	dass radio	radio
das Radrennen	dass raht-rennen	cycle racing
die Rakete	dee rackayte(r)	rocket
der Rasenmäher	derr razen-mayer	lawn mower
der Rasensprenger	derr razen-shprenger	sprinkler
der Räuber	derr royber	robber
der Rauch	derr rowkh	smoke
raufen	rowfen	to fight
der Raumfahrer	derr rowm-fahrer	spaceman
die Raupe	dee rowpe(r)	caterpillar
der Rechen	derr rekhen	rake
das Rechnen	dass rekhnen	sums
rechts	rekhts	right
das Regal	dass ray-gal	shelf
der Regen	derr ray gen	rain
der Regenbogen	derr raygen-bogen	rainbow
der Reifen	derr ryfen	tyre, hoop
der Reis	derr rice	rice
der Reißnagel	derr rice-nahgel	tack
der Reißverschluß	derr rice-fair-shloos	zip
die Reißzwecke	dee rice-tsvecke(r)	drawing pin
das Reiten	dass ryten	riding
die Reiterin	dee rytereen	rider
der Rennfahrer	derr renn-fahrer	racing driver
das Renntier	dass renn-teer	reindeer
der Rennwagen	derr renn-vahgen	racing car
der Rhombus	derr romboos	diamond
der Richter	derr rikhter	judge
der Riese	derr reeze(r)	giant
das Riesenrad	dass reezen-raht	big wheel
das Ringen	dass ringen	wrestling
das Ringwerfen	dass ring-verfen	hoop-la
der Ritter	derr ritter	knight
der Roboter	derr roboter	robot
der Rock	derr rock	skirt
die Röhre	dee ru(r)e(r)	pipe
das Rollbett	dass roll-bett	trolley
der Roller	derr roller	scooter
der Rollschuh	derr rol-shoo	roller skate
der Rollstuhl	derr rol-shtool	wheel chair
rosa	roza	pink
der Rosenkohl	derr rozen-koal	Brussels sprout
die Rosinensemmel	dee rozeenen-zemmel	bun
rot	roat	red
der Rücken	derr rewken	back
das Ruder	dass rooder	oar
das Ruderboot	dass rooder-boat	rowing boat
das Rudern	dass roodern	rowing
der Rüssel	derr rewssel	trunk
die Rutschbahn	dee rootsh-bahn	slide, helter-skelter
der Sack	derr zack	sack
die Säge	dee zayge(r)	saw
das Sägemehl	dass zayge(r)-mayl	sawdust
die Sahne	dee zahne(r)	cream
der Salat	derr zalat	lettuce
das Salz	dass zalts	salt
der Samen	derr zahmen	seed
die Sandale	dee zandahle(r)	sandal
die Sandburg	dee zant boorg	sand castle
der Sandkasten	derr sant-kasten	sandpit
das Sandpapier	dass zant-papeer	sandpaper
die Sängerin	dee zengerin	singer
der Sattel	derr zattel	saddle
sauber	zowber	clean
die Schachtel	dee shakhtel	box
das Schaf	dass shahf	sheep
der Schäfer	derr shayfer	shepherd
der Schäferhund	derr shayfer-hoont	sheep dog
der Schaffner	derr shaffner	guard
der Schal	derr shahl	scarf
die Schallplatte	dee shall-platte(r)	record
der Schatz	derr shats	treasure
die Schaufel	dee showfel	dustpan
die Schaukel	dee showkel	swing
das Schaukelpferd	dass showkel-pfert	rocking horse
der Schaum	derr showm	bubble
der Schauspieler	derr shaow-shpeeler	actor
der Scheinwerfer	derr shine-verfer	headlight
die Schere	dee shayre(r)	scissors
der Scheriff	derr sheriff	sheriff
die Scheuerbürste	dee shoyr-bewrste(r)	scrubbing brush
die Scheune	dee shoyne(r)	barn
scheußlich	shoysslikh	nasty
schieben	shee-ben	to push
die Schiene	dee sheene(r)	rail
die Schießbude	dee sheess boode(r)	rifle range
das Schiff	dass shiff	ship

die Schildkröte	*dee shilt-kru(r)te(r)*	tortoise
der Schinken	*derr shinken*	ham
der Schlafanzug	*der shlahf antsook*	pyjamas
schlafen	*shlahfen*	to sleep
der Schläger	*derr shlayger*	bat
der Schlamm	*derr shlamm*	mud
die Schlange	*dee shlange(r)*	snake
der Schlauch	*derr shlowkh*	hose
die Schleuse	*dee shloyze(r)*	lock
der Schlitten	*derr shlitten*	sleigh
das Schloß	*dass shloss*	castle, lock
der Schlüssel	*derr shlewssel*	key
der Schmetterling	*derr shmetterling*	butterfy
schmutzig	*shmootsikh*	dirty
die Schnalle	*dee shnalle(r)*	buckle
die Schnecke	*dee shnecke(r)*	snail
der Schnee	*derr shnay*	snow
schneiden	*shnyden*	to cut
schnell	*shnell*	fast
die Schnur	*dee shnoor*	string
das Schnnrband	*dass shnoor-bant*	shoe lace
die Schokolade	*dee shocko-lahde(r)*	chocolate
der Schornstein	*derr shorn-shtyne*	chimney
der Schrank	*derr shrank*	cupboard
die Schraube	*dee shrowbe(r)*	screw
der Schraubenschlüssel	*derr shrowben-shlewssel*	spanner
der Schraubenzieher	*derr shrowben-tseer*	screwdriver
der Schraubstock	*derr shrowb-shtock*	vice
schreiben	*shryben*	to write
die Schreibmaschine	*dee shripe-masheene(r)*	typewriter
der Schreiner	*derr shriner*	carpenter
der Schubkarren	*derr shoob-karren*	wheel barrow
die Schublade	*dee shooblahde(r)*	drawer
die Schule	*dee shoole(r)*	school
die Schulter	*dee shoolter*	shoulder
der Schuppen	*derr shoopen*	shed
die Schürze	*dee shewrtse(r)*	apron
die Schüssel	*dee shewssel*	bowl
der Schwamm	*derr shvamm*	sponge
der Schwan	*derr shvahn*	swan
der Schwanz	*derr shvants*	tail
schwarz	*shvarts*	black
das Schwein	*dass shvine*	pig
der Schweinestall	*derr shvine(r)-shtal*	pigsty
das Schwert	*dass shvert*	sword
die Schwester	*dee shvester*	sister
schwierig	*shveerig*	difficult
das Schwimmen	*dass shvimmen*	swimming
sechs	*zex*	six
sechzehn	*zekh tsayn*	sixteen
der See	*derr zay*	lake
der Seehund	*derr zay-hoont*	seal
der Seestern	*derr zay-shtern*	starfish
das Segelboot	*dass zaygel-boat*	sailing boat
das Segeln	*dass zaygeln*	sailing
die Seidenraupe	*dee zyden-rowpe(r)*	silk worm
die Seife	*dee zyfe(r)*	soap
das Seil	*dass zyle*	rope
der Seiltanzer	*derr zyle-tantser*	tight-rope walker
der Sessel	*derr zessel*	armchair
die Sichel	*dee zikhel*	crescent
das Sicherheitsnetz	*dass zikher-hyts-nets*	safety net
sieben	*zeeben*	seven
siebzehn	*zeeb-tsayn*	seventeen
das Signal	*dass zignahl*	signal
singen	*zingen*	to sing
sitzen	*zitsen*	to sit
das Skilaufen	*dass shee-lowfen*	skiing
die Socke	*dee zocke(r)*	sock
der Sohn	*derr zone*	son
der Soldat	*derr zoldat*	soldier
der Sommer	*derr zommer*	summer
die Sonne	*dee zonne(r)*	sun
der Sonnenhut	*derr zonnen-hoot*	sun hat
der Sonnenschirm	*derr zonnen-sheerm*	umbrella
die Soße	*dee zoasse(r)*	sauce
die Spaghetti	*dee spagettee*	spaghetti
die Späne	*dee shpayne(r)*	shavings
die Sparbüchse	*dee shpar-bewkse(r)*	money box
der Spaten	*derr shpahten*	trowel
der Speicher	*derr shpakten*	loft
der Speisewagen	*derr shpyze(r)-vahgen*	buffet car
der Spiegel	*derr shpeegel*	mirror
das Spiegelei	*dass shpeegel-eye*	fried egg
das Spiel	*dass shpeel*	game
spielen	*shpeelen*	to play
die Spielkarte	*dee shpeel-karte(r)*	card
der Spielplatz	*derr shpeel-plats*	playground
das Spielzeug	*dass shpeel-tsoyk*	toy
der Spielzeugladen	*dass speel-tsoyk-lahden*	toy shop
der Spinat	*derr shpinaht*	spinach
die Spinne	*dee shpinne(r)*	spider
die Spinnwebe	*dee shpinn-vaybe(r)*	cobweb
der Sport	*derr shport*	sport
springen	*shpringen*	to jump
das Springseil	*derr shpring-zile*	skipping rope
die Spritze	*dee shpritse(r)*	syringe
der Stab	*derr shtahp*	pole
die Staffelei	*dee shtaffe(r)-lye*	easel
der Stall	*derr shtal*	stable
die Statue	*dee shtatooe(r)*	statue
der Staubsauger	*derr shtowb-zowger*	vacuum cleaner
das Staubtuch	*dass shtowb-tookh*	duster
die Steckdose	*dee shteck-doze(r)*	plug
stehen	*shtayen*	to stand
der Stein	*derr shtine*	stone
der Stern	*derr shtern*	star
das Steurrad	*dass shtoyer-raht*	steering wheel
die Stewardeß	*dee stewardess*	air hostess
der Stiefel	*derr shteefel*	boot
der Stier	*derr shteer*	bull
der Stock	*derr shtock*	stick
der Strand	*derr shtrant*	seaside
die Straße	*dee shtrasse(r)*	street
der Strauß	*derr shtrowss*	ostrich
stricken	*shtricken*	to knit
die Strickjacke	*dee shtrick-yacke(r)*	cardigan, jersey
die Strickleiter	*dee shtricklyter*	rope ladder
der Strohballen	*derr shtro-balen*	straw bale
der Strohhalm	*derr shtro-halm*	drinking straw
der Strom	*derr shtrome*	stream
die Strumpfhosen	*dee shtroompf-hozen*	tights
die Stufe	*dee shtoofe(r)*	step
der Stuhl	*derr shtool*	chair
die Suppe	*dee zoope(r)*	soup
das Tablett	*dass tablett*	tray
die Tablette	*dee tablette(r)*	pill
die Tafel	*dee tahfel*	blackboard
der Tanker	*derr tanker*	petrol tanker
die Tankstelle	*dee tank-shtelle(r)*	garage
der Tankwagen	*derr tank-vahgen*	petrol lorry
die Tante	*dee tante(r)*	aunt
tanzen	*tantsen*	to dance
die Tänzerin	*dee tentserin*	dancer
die Tapete	*dee ta-payte(r)*	wallpaper
die Tasche	*dee tashe(r)*	bag, pocket
das Taschenmesser	*dass tashen-messer*	penkhife
das Taschentuch	*dass tashen-tookh*	handkerchief
die Tasse	*dee tasse(r)*	cup
das Tätigkeitswort	*dass taytikh-kites-vort*	doing word
der Tau	*derr taow*	dew
die Taube	*dee towbe(r)*	pigeon
das Taxi	*dass taxi*	taxi
der Teddybär	*derr teddy-bear*	teddy bear
der Tee	*derr tay*	tea
der Teelöffel	*derr tay-lu(r)fel*	teaspoon
der Teich	*derr tykh*	pond
das Telefon	*dass telephon*	telephone
der Teller	*derr teller*	plate

German	Pronunciation	English
das Tennis	dass tennis	tennis
der Teppich	derr teppikh	carpet
das Thermometer	dass termometer	thermometer
der Teufel	derr toyfel	demon
der Tiefseetaucher	derr teef-zay-towkher	deep-sea diver
der Tierpark	derr teer-park	zoo
der Tiger	derr teeger	tiger
der Tisch	derr tish	table
die Tischdecke	dee tish-decke(r)	table cloth
das Tischtennis	dass tish-tennis	table tennis
die Tochter	dee tokhter	daughter
die Toilette	dee twalette(r)	toilet
die Tomate	dee tomahte(r)	tomato
der Ton	derr tone	clay
der Topf	derr topf	saucepan
das Tor	dass tore	gate
tot	tote	dead
tragen	trahgen	to carry
der Traktor	derr tractor	tractor
das Trapez	dass trah-payts	trapeze
die Treppe	dee treppe(r)	stairs
trinken	trinken	to drink
trocken	trocken	dry
die Trommel	dee trommel	drum
die Trompete	dee trompayte(r)	trumpet
der Truthahn	derr troot-hahn	turkey
das T-Shirt	dass tee-shirt	T-shirt
der Tunnel	derr toonel	tunnel
die Tür	dee tewr	door
die Türklinke	dee tewrklinke	door handle
der Turnschuh	derr toorn-shoe	gym shoe
das U-Boot	dass oo-boat	submarine
die Uhr	dee oor	clock, watch
das Ungeheur	dass oon-ge(r)-hoyer	monster
unten	oon-ten	downstairs
unter	oon-ter	under
das Unterhemd	dass oonter-hemt	vest
die Unterhose	dee oonter-hose(r)	pants
die unterste	dee oonter-ste(r)	bottom
die Untertasse	dee oonter-tasse(r)	saucer
der Vater	derr fahter	father
der Verband	derr ferbant	bandage
verkaufen	fer-kowfen	to sell
der Verkäufer	derr fer-koyfer	shopkeeper
verstecken	fershtecken	to hide
viel	feel	a lot
vier	feer	four
vierzehn	feer-tsayn	fourteen
der Vogel	derr fogel	bird
das Vogelnest	dass fogel-nest	birds' nest
die Vogelscheuche	dee fogel-shoykhe(r)	scarecrow
voll	foll	full
der Vorhang	derr fore-hang	curtain
der Vorleger	derr fore-layger	rug
vorne	forne(r)	in front
die Waage	dee vahge(r)	scales
der Waggon	derr vaggong	carriage
der Wald	derr valt	forest, wood
der Walfisch	derr vahl-fish	whale
die Walze	dee valtse(r)	roller
die Wand	dee vant	wall
warten	varten	to wait
das Waschbecken	dass vash-becken	wash basin
waschen	vashen	to wash
die Waschmaschine	dee vash-masheene(r)	washing machine
das Waschpulver	dass vash-poolver	washing powder
das Wasser	dass vasser	water
der Wasserfall	derr vasser-fal	waterfall
der Wasserhahn	derr vasser-hahn	tap
die Wasserskiläuferin(f)	dee wasser-shee-loyferin	waterskier
die Watte	dee vatte(r)	cotton wool
der Weg	derr vayg	path
der Wegweiser	derr vayg-vise(r)	signpost
weich	vykh	soft
der Weiher	derr vyer	pond
der Weihnachtsmann	derr vy-nakhts-man	Father Christmas
der Wein	derr vine	wine
weinen	vinen	to cry
die Weintraube	dee vine-trowbe(r)	grape
weiß	vyss	white
weit	vyte	far
die Welle	dee velle(r)	wave
der Wellensittich	derr vellen-zittikh	budgerigar
der Welpe	derr velpe(r)	fox cub
wenige	vay-nee-ge(r)	few
werfen	verfen	to throw
die Werkstatt	dee verk-shatt	workshop
die Werkzeugbank	dee verk-tsoyk-bank	work bench
der Werkzeugkasten	derr verk-tsoyk-kasten	tool box
die Wespe	dee vespe(r)	wasp
das Wetter	dass vetter	weather
das Wettschießen	dass vett-sheessen	shooting
das Wild	dass vilt	deer
der Wind	derr vint	wind
die Windmühle	dee vint-mewle(r)	windmill
der Winter	derr vinter	winter
die Wippe	dee vippe(r)	see-saw
die Wohnung	dee vo-noong	flat
der Wohnwagen	derr vone-vahgen	caravan
der Wolf	derr volf	wolf
die Wolke	dee volke(r)	cloud
die Wolle	dee volle(r)	wool
die Wunderkerze	dee voonder-zertse(r)	sparkler
der Würfel	derr vewrfel	dice, cube
der Wurm	derr voorm	worm
die Wurst	dee voorst	sausage
die Wüste	dee vewste(r)	desert
die Zahl	dee tsahl	number
der Zahn	derr tsahn	tooth
der Zahnarzt	derr tsahn-artst	dentist
die Zahnbürste	dee tsahn-bewrste(r)	toothbrush
die Zähne putzen	dee tsayne(r) pootsen	to clean (teeth)
die Zahnpasta	dee tsahn-pasta	toothpaste
der Zauberer	derr tsowberer	magician, wizard
der Zauberstab	derr tsowber-shtap	wand
der Zaun	derr tsown	fence railing
das Zebra	dass tsaybra	zebra
der Zebrastreifen	derr tsaybra-shtryfen	crossing
die Zehe	dee tsaye(r)	toe
zehn	tsayn	ten
die Zeichnung	dee tsykh-noong	drawing
die Zeitung	dee tsy-toong	newspaper
das Zelt	dass tselt	tent
zerbrechen	tser-brekhen	to break
die Ziege	dee tseege(r)	goat
der Ziegelstein	derr tseegel-shtine	brick
ziehen	tsee-yen	to pull
die Zielscheibe	dee tseel-shybe(r)	target
der Zirkus	derr tsirkooss	circus
der Zirkusdirektor	derr tsirkooss-director	ring master
die Zitrone	dee tsitrone(r)	lemon
der Zoowärter	derr tsoo-verter	zoo keeper
zu	tsoo	shut
der Zucker	derr tsooker	sugar
die Zuckerwatte	dee tsooker-vatte(r)	candy floss
der Zug	derr tsook	train
zuhören	tsoo-hu(r)ren	to listen
das Zündholz	dass tsewnt-holts	match
die Zunge	dee tssooge(r)	tongue
zwanzig	tsvantsig	twenty
zwei	tsvy	two
der Zwerg	derr tsverk	dwarf
die Zwiebel	dee tsveebel	onion
zwölf	tsvu(r)lf	twelve